눈을

감고

순간을

채우다

눈을 감고 순간을 채우다

시인 정호준

 시를 쓰고 그림 그리기를 좋아해, 호시탐탐 당신 주변을 서성이며 관찰합니다. 학교에서 학생을 가르치지만, 오히려 학생들에게 더 많이 배우는 중입니다. 시집 〈사랑했나요〉, 〈기억할게요〉를 지었습니다.

 인스타그램(@jeonghojun7019)에서도 소통하니 참고하세요.

＜그리운 마음이야, 저 바다보다 깊어＞

옆모습 16 반딧불이 꿈 17 별 이유 없이 18

하지 못한 말 19 누구나 20 안다는 것 21 닮은 22

놓았거나 놓쳤거나 23 그리운 이름 24 경계선 25

국수 26 조금씩 27 사랑에 대해 28

잠들기 전에 29 꽃밭 30 내리다 31 작은 성공 32

틀렸다 33 그릇 34 당연한 것 35 다녀올게 36

잊히는 시간에 대해 37 비밀 38 향기로 기억되다 39

러브스토리 40 홀로 41 당신에게 42 그날그날 43

혼자 44 스르르 46 다음 날을 위해 47

자귀나무에게 48 가벼움 50 동지 51 바랐으나 52

기준 53 열심히 54 간직하다 55

시인 전윤재

열아홉과 스물의 경계
그 사이에서 흘러나온 시와 노래를
당신에게 들려드리고자 합니다.

오늘도 아무렇지 않은 척 살아가는
그대 혼자만의 아픔을 제가 위로해 주려 합니다.

나를 둘러싸고 있는 꽃과 나무를
아름다운 두 눈에 담아보고자
지나간 길을 다시 뒤 돌아보듯이

당신의 길도 다시 돌아보았을 때
짧은 미소와 눈물이 함께하기를, 그리고
그대가 내일의 길을 향해 더 나아가기를 기도합니다.

〈내 사랑은 꽃이었다〉

편지1 58   편지2 59   행복, 하나 60   역주행 62

새벽에 63   나무 64   청춘 66   내가 사는 세상 67

너라는 별 68   너의 노래 69   개화기 (開花期) 70

천국 71   친구해요 72   안아보자 74   기다림 75

화기 (花期) 76   꽃잎 77   연의 편지 78

오로라 빛 향수 79   달 80   위로 81   오늘 밤 82

자장가 83   약속 84   기다릴게 85

낙화기 (落花期) 86   그대는 사진 속에 87

후회 88   영원 89   버퍼링 90   그 자리 91

NO 사랑 92   사랑이란 게, 이별이란 게 94

창문 95   사랑해봤는데요 96

시인 강순정

닿지 못해 넘쳐흐르는 마음과
표현하지 못해 넘쳐흐르는 눈물로
한 글자 한 글자 꾸역꾸역 적다 보니
어느새 보내지 못한 편지들로 한가득 모였습니다.

그대가 내게 준 사랑으로 써내려간 그리운 조각들
이제는 내가 그대에게 드리려 합니다.
저의 서툰 고백이 그대의 마음에 자리 잡아
당신의 계절이 안녕하기를 바라봅니다.

instagram   @pink_pure_star

〈사랑은 우리로 하여금 숨 쉬게 한다〉

너의 이름은 뭐니? 100   내 안의 초콜릿 101

친구와 이성 사이 102   하늘바라기 103

내가 가장 사랑하는 사람 104   무장해제 105

도돌이표 106   탱탱볼 107   염원 108   작은 샘의 비밀 109

고개를 들어 하늘을 보라 110   행선지 111

태양에게 건네는 편지 112   글귀 113   이별한 하늘 114

인과관계 115   부재 116   엇갈린 시간들 117   무한대 118

1년 내내 겨울밤 119   가을이 사랑에게 120   러브레터 121

들리나요 122   모든 날, 모든 사람 123   이 별의 길 124

거짓 고백 125   방문객 126   너를 만나 127   짝사랑 128

부탁 129   위로의 인사 130   한여름 밤의 꿈 131

사랑에 빠지고 싶다 132   해를 품다 133   오뚝이 134

이유 135   사랑의 선물 136   껍딱지 137   각인 138

허락해주시겠습니까? 139

시인 오세하

여전히 엄마한테 어리광을 부리고
기백이 넘치는 친구들과 현 시기를 보내는
20대 후반의 철부지입니다.

맨날 사랑 타령만 하여
여느 작가님들처럼 인생을 이야기하고
누군가 위로해주는 글을 쓰고 싶었습니다.

아빠한테 여쭤봤습니다.
아직 사랑밖에 안 해봐서 그런 거라고
빈 술잔을 채워주며 말씀하십니다.

맞습니다.
가족들에게, 친구들에게
사랑만 받고 자라서 아직 철이 없나 봅니다.
인생이 뭔지도 잘 모르겠습니다.

그래서 당분간은 사랑 타령만 해야겠습니다.
언제 철들지 모르니까요.

instagram   @se_bam5

〈너의 미소는 꽃가루였나 보다〉

별 142 꽃가루 143 꿈 144 비가 오나요 145

내 마음도 그래요 146 흔적 147

달이 밝아 그려보았소 148 기우제 149 나비효과 150

예쁘니까 151 언젠가 비는 그치겠지 152 컬러링 153

인연 154 신기루 155 심통 156 모노드라마 157

곰인형 158 시력 159 변덕 160

(여자)친구 만나고 올게요 161 향기 162 없었으면 163

소나기 164 오늘 165 4월, 삼척에서 166

눈 맞아요 우리 167 방화 168 플로리스트 169

사계절 170 일석이조 171 신데렐라 172

네가 달이라면 173 고백 174 차라리 175 침묵 176

이별은 별인가 봐요 177 다 좋아 178

취업 179 해피엔딩 180 나는 나예요 181

그리는 마음이야,
저 바다보다 깊어

————

정호준

그립다 생각하면 더 보고픈 것이 그리움의 속성인가 봅니다. 생각 말자 다짐할수록 더더욱 마음에 또아리를 트는 것이 그리움의 본성인가 봅니다. 그래서 그리운 마음은 깊어만 지나 봅니다. 저 서해, 바다보다 깊고 푸른 그리움에 대해 늘 일기를 쓰듯, 시로 짓고 싶습니다.

그리운 얼굴이 참 많습니다. 몇 해 전, 고향이 좋으시다며 지리산 천왕봉이 보이는 자리 골라 신선처럼 나무가 되신 아버지, 지척이지만 직장 때문에 일주일에 한 번 뵙게 된 어머니, 어렸을 때부터 함께 자랐으나 여러 번 이사 다니며 멀어지게 된 친구들, 제 몫을 하며 살아가느라 연락이 끊긴 제자들, 그리고 늘 곁에 있어도 눈길 한 번 주지 않으면 발견하지 못하는 노을 지는 바다와 하늘이 펼쳐진 자연까지 말입니다.

그리운 마음, 고이고이 담아 적어봅니다. 누군가 생각날 때마다 꺼내 읽어주세요. 시는 당신의 목소리를 입힐 때 비로소 날개를 다는 천사가 된답니다. 늘 당신 곁에 이 시가 함께 하기를…… 그것이 나의 작은 소망입니다.

옆모습

오늘은 바다가 깊어

유난히
노을을 빨아들이는 힘도 강해

파도가 찰랑이듯
네 머리카락이 바람에 흔들려

반쯤 얼굴을 가린
저 구름은 부채꼴이야

바다 너머를 응시하는
너를
너의 반짝이는 눈빛까지

모두 기억할 거야

마음에 꼭꼭 담고 싶은
그런, 저녁이거든

반딧불이 꿈

여리지만
자주 깜빡일게요

빛을 낼게요

어두워진
당신 마음

이정표 되고 싶어서요

별 이유 없이

좋은걸

좋아 죽겠는걸
어떡해

하지 못한 말

빙수가 다 녹아
물이 될 때까지
망설이던 너의 입술

그래
말하지 마
하지 않아도 다 알아

다 알아들을 만큼
너를 잘 아니까

사랑하니까

누구나

살살살
애인 대하듯 해주세요

그렇게
힘으로 될 일이 아니랍니다

안다는 것

간밤에 무사한가

태풍 지나는 새벽
눈 뜨자
가장 먼저 떠오르는
당신

오늘도 괜찮으려나

안다는 것은
이처럼 수시로 걱정되는 일이던가

그리는 마음이야, 저 바다보다 깊어 _ 정호준

닮은

걱정해서 걱정이 사라지면 걱정이 없겠네

사랑해서 사랑이 잊힌다면 사랑을 하겠네

놓았거나 놓쳤거나

우리가 그랬구나

우리 관계가 그랬구나

서운히도 그랬구나
아리도록

그랬었구나!

그리운 이름

장맛비
주룩주룩
사나흘 내리는 밤이라면

마음속
간직했던 그 이름, 석 자

조근조근
부르고 싶지 않겠습니까

그립고 그리워도
전화조차 못 하는
그런 사람 없겠습니까

이 나이 먹도록 정말
그런 사랑
그런 이별
아련히 한번 없었겠냐구요

경계선

과거에 만난 사람

나를 아프게 한 사람

지금도 기억하고 사랑하는 사람

하늘과 바다
그 사이가 애매하듯
선 지을 수 없는 사람

그 사람을 경계해

국수

자귀나무 잎잎이
제법 푸르게 자랐어

조만간 부채모양
꽃들도 피겠지

그즈음
연락해서 콩국수 한번 먹자

간 만에 만나
쌓고 쌓은 회포 좀 풀어보자
면발 퉁퉁 불 때까지 오래도록 실컷 보자

조금씩

오늘
한 걸음 다가갈게요

당신도

거기
한 걸음 다가오세요

내게로

그리는 마음이야, 저 바다보다 깊어 _ 정호준

사랑에 대해

밤새
울어 보았나

밤새
뒤척여 보았나
한숨 쉬어 보았나

아니면 말하지 말게나
사랑이었다 하지 말게

잠들기 전에

기도하게 하소서

작고 여린 것들이
평안히 잠들 수 있기를

그리는 마음이야, 저 바다보다 깊어 _ 정호준

꽃밭

꽃내음 가득 담긴 향수를
잠자리에 뿌려드릴게요

꿈결에도 그리 좋다는 꽃구경
잘하고 오세요

어머니
꽃 같은 어머니

내리다

꽃잎 나리네요

그 자리
햇살 함께 내리네요

잠깐만요
저도 여기 내릴게요

햇살 좋고
바람 좋으니
내내 잠들게요

나도
여기 함께 묻어주세요

그리는 마음이야, 저 바다보다 깊어 _ 정호준

작은 성공

오늘도
아무 일 없었다고요

다행이네요

오늘도 성공이네요

틀렸다

오랜만이야
잘 지냈지
건강은 하구
요즘 뭐해
그렇구나

……

전화 끊고 생각했네

진짜 진짜
고백하려 했는데
오늘도 글렀네

그리는 마음이야, 저 바다보다 깊어 _ 정호준

그릇

넘치고 말았네요

작은 이 마음에
또 그대를 담으려니

사랑하려 덤비니

당연한 것

그래서요

바람 되었다고요
구름 되었다고요
빗물 되었다구요

그래
밤새 창문 두드렸다고요

잠 못 든
공책 사이 숨어드는
시가 되었다고요

항상 주변을 서성일 거라고요
다시 무엇으로 찾아올 거라고요

당연히 저도 그럴게요
사랑하는 당신
찾아갈게요

그리는 마음이야, 저 바다보다 깊어 _ 정호준

다녀올게

약속하고 갔으면
돌아와야지

돌아온다 했으면
다시 와야지

다시 와야 내가 살지
도로 뻘뻘 살아나지

잊히는 시간에 대해

양철 깡통이 삭아 없어지는 시간 100년
알루미늄 캔 500년
스티로폼 1000년
비닐은 반영구적
플라스틱은 영원하다는데

그래도 내가 썩어
당신을 지우는 시간이 가장
짧을 것 같군요

다행이네요
그나마

위로 아닌, 위안이 되네요

비밀

달이 참!
푸르다
푸르게 밝다

내게 알려주던,
말 대신 피아노를 연주하던 당신

그 선율 따라
노란색 달
스르르르– 가면을 벗네

당신과 나

우리만 보는
둘만 아는

푸른 달이 떴다는 건

당분간 비밀이야!

향기로 기억되다

기대되는 일이 있다

우주 향을 담은 향수가
나온다고 한다

화약과 그슬린 스테이크
산딸기, 럼주를 혼합한
모양새라는데

달큼하고 매캐한 향이
꼭 너를 닮은 것 같아
문득문득 기억나게 할 것 같아

기대되는 일이다

너 있는 곳
향은 이럴까 싶어

그리는 마음이야, 저 바다보다 깊어 _ 정호준

러브스토리

미안하다고 하면

사랑은 미안하다고 말하지 않는 거라며
따스히 안아주던 당신

이제는 무뚝뚝
미안하다며
먼저 전화를 끊네

당신과 손잡고 보던
그 영화는 어떻게 끝나더라

우리 같이 비극이었나
슬픈 눈물뿐이었나

잘 모르겠어
기억나지 않아

슬퍼

홀로

혼자서는
화장실도 잘 못 가면서
저승길은 어찌 홀로 갈꼬

자박자박
어정쩡히 걷는
당신 뒷모습에

그만
가슴이
먹먹해지더이다

당신에게

부전나비
찢어진 날개를
보았어요

가을비
소리 깊어
눈가에
슬픔 고였어요

나비도
참!
한세상
애쓰며 살았나 봐요

옷 끝자락
해진 자리까지
당신과 꼭
같아서요

그날그날

가늠할 수 없는
그리움

터지는 날

꽃무릇 피는 날

저기 나를 보아

밤새 토악질한
기다리다 지쳐버린

저기 저
시뻘건 핏덩이를
처연한 눈물바다를

혼자

호박을 썰다가

하필이면
된장국에 들어갈
애호박을 납작납작 썰다가

나도 모르게
울컥 눈물이 솟았다

보글보글 국은 끓는데
끓어 넘치려는데

보고픈
엄마 냄새가
왜 이다지도 갑자기 진동하느냐

어쩌나

고향 생각

엄마 생각나는
된장국은 당분간 못 먹겠다

혼자 중얼거렸네

그리는 마음이야, 저 바다보다 깊어 _ 정호준

스르르

고즈넉한 어둠 안으로
빗줄기 사라져요

비 오는 저 소리
참 좋다던 당신

잘 있다는 안부인가요
잘 있으라는 인사인가요

새벽에 내리는 비는
유난히 반짝이네요

당신을 꼭
닮았네요

다음 날을 위해

창문을 닫을게요
문도 꼭꼭 잠글게요

여기저기
곰살맞게 단속도 잘할게요

돌아오지 못해도
늘 그대로인 듯이

내일이
다시는 없는 것 같이

그리는 마음이야, 저 바다보다 깊어 _ 정호준

자귀나무에게

가는 걸음 멈추게 하는 게
너였니

돌아보면 수줍어
두 손으로 얼굴 가리고
곁눈질해 엿보는 거 맞지

아무래도 미소까지 은은히 향
내는 건
너밖에 없을 거야

매일매일 지나가도
말 한번 못 붙이고
한여름 내내
그러고만 있을 거지

영영 애만 태우다 지고
말 거지
그럴 거지

묵묵하기만 한
먹먹하기만 한
너는 꼭 자귀나무 같더라니

그리는 마음이야, 저 바다보다 깊어 _ 정호준

가벼움

카프카의 변신처럼

아버지는 어느 날
나무가 되셨다

흰나비로 가끔
변하기도 하고
바람결이 되기도
하신다

어깨가 무겁기만 하던
아버지의 삶도

드디어 가벼워진 것 같아

조금은
이제
안심이 되기 시작했다

동지

당신
밝은 얼굴 보는 날 보다

기다리는 시간이 길어지겠지

밤도 따라 진해지겠지
깊고 깊어지겠지

동지 즈음일 거야

아마
겨울 강은 더욱 꽝꽝 얼겠지
단단히 물의 기억을 동여매겠지

침묵하는 당신처럼
그 입술 같이

그리는 마음이야, 저 바다보다 깊어 _ 정호준

바랐으나

어둠이 늘 천천히
마음 안에
찾아들 거라는 생각은 착각이라

파도가 갑자기 밀려오듯
바람이 순식간에 일 듯이

이별도 참 뜬금없이
준비 없이 이루어지는 것이더라

지난 후에 늘상
후회하면 어쩌리

나는 늘
한 발짝 뒤처지는

사랑에도
예외는 없었던 것이라

기준

가끔
더 늙을 수 없을 만치 늙어
버렸으면 해요

마음 까지
그리되면

담담해질까요

정녕
당신에게도
무심해질까요

그리는 마음이야, 저 바다보다 깊어 _ 정호준

열심히

분황사와 황룡사지 사이

붉게 깔린 융단
코스모스 꽃길이야

천 년 전에도
지금도

나는
내내 당신에게 갑니다
찾아만 갑니다

저 꽃이 피듯
열심히 피어나듯

간직하다

이 말은 꼭 기억해 주렴

학교에서 배우는 공부가 어려웠지?
그치만 이제 사회에 나가면
다시 배움이 시작된단다

가장 어렵고 힘겨운
인생 공부, 세상 공부 말이야

가끔, 울적하고 버거우면 연락하렴

늘 기다리고 있을 테니

그리는 마음이야, 저 바다보다 깊어 _ 정호준

내 사랑은
꽃이었다

———

전윤재

지나간 시간들을 추억하며
빛나는 별들을 천천히 이어봅니다

오늘, 하나의 별이 나에게 위로를 주었듯이
내일은 또 하나의 별이 당신을 위로해주기를 바랍니다

자연스레 피어난 나의 꽃이, 나의 사랑이
어둠 속에서도 찬란하게 빛나기를 바랍니다

내 사랑은 꽃이었기에
따뜻한 봄날에 다시 피어나길 바라며

그대는 부디 아름답게 빛나소서

편지 1

누군가는 지금 너의 모습에 비해
너의 꿈이 크다고 말할지도 몰라

하지만 현재로서 꿈이 크다는 말이
그 꿈이 내일이 되고 훗날이 되어도
커질 수 없다는 말은 아니라고 생각해

남들보다 조금 시간이 더 걸릴 뿐이지
그러니 나는 네가 꿈을 지금 당장 놓지 않았으면 해

내가 너의 꿈을 구체적으로 알지는 못하지만
언제나 너의 꿈을 응원하고 너와 함께 꿈을 꿀게

조금은 괜한 오지랖처럼 보일 수도 있어서
조심스럽지만, 네가 너의 꿈을 꿀 때는
진심으로 행복하기를 기도할게

편지 2

하루가 지나고, 지난날들을 되돌아보니
모든 게 생각대로만 흘러가지는 않더라고요

그러니 기대했던 일들이 너무 잘 풀려서 자만하지도,
너무 안 풀려서 절망하지도 않기를 바라요

아직 일어나지 않은 일에 대한 과한 기대도,
과한 걱정도 하지 않았으면 좋겠어요
이 또한 지나가니까

오늘도 수고했다는 말, 조금만 더 힘내라는
부담스러운 말은 하지 않을게요

그저 당신의 뒤에서 당신의 미래를 위해
진심으로 기도하는 누군가가 있다는 것만을
알았으면 해요

당신의 행복을 위해 언제나 바라보고 있으니까요

행복, 하나

아침에 일어나
따뜻한 햇빛에
눈을 뜨고 버스에 올랐다
비어있는 저 자리는 누구일까

새벽하늘의 희미함과
아침하늘의 구름들을
뒤로 한 채 학교에 왔다
비어있는 저 자리는 누구일까

하늘과 구름 사이의 햇빛 대신
가로등의 불빛들이 나를 비출 때쯤
집에 들어와 침대에 누워 눈을 감는다

따뜻한 아침과 푸른 구름
어둠 속에서 나를 비춰주던 가로등
하루라는 단어에 마침표를 찍기 위해 감은 눈

이 모든 순간 가운데
비어있는 저 자리는 누구일까

행복, 그거 하나 찾기 참 어렵다

내 사랑은 꽃이었다 _ 전윤재

역주행

다시 저 길을 걸어가야 하는 당신이
앞에 있는 이 길을 지나쳐야 하는 당신이
언젠가는 꽃길에서 다시 만나 아름답게 걸어가기를

새벽에

밤하늘의 별이 그대의 눈이 되고
푸른 하늘과 구름이 그대의 미소가 되니
그대, 홀로 깨어난 새벽에 슬퍼하지 말아요

어둠과 밝음, 그 사이를 헤매는 너의 내일은
지평선의 파도를 넘어 떠오르는 태양이기를 바라며
그대, 홀로 깨어난 새벽에 너무 아파하지 말아요

나무

넓디넓은 숲속에서
하염없이 푸르게 빛나는

저 나무들은 오늘도
여전히 그대로 있네요

바람이 스치고 파도가 스쳐도
하염없이 멈춰있는 저 나무들은
주변의 아름다운 모습조차도 스칠 뿐일까요

나무로 살지 말자
남으로 살지 말자

주위에 예쁜 꽃 한 송이
정도는 알아도 괜찮잖아요

그대, 잊지 말아요

그대 곁에는 나뿐만 아니라
아름다운 사람들이 많다는 것을

나무로 살지 말자
남으로 살지 말자

꽃을 피우고 열매를 맺으면 뭐해
차갑게 떨어지는 낙엽만 볼 뿐인데

그대, 멈춰 있지 말아요

그대만 아름다우면 뭐해
꽃들은 이미 시들어 버렸는데 말이야

내 사랑은 꽃이었다 _ 전윤재

청춘

차라리 울어버리자

꼭 울어야 힘들고
웃어야 괜찮은 하루를 보내는
우리의 시련이 과연 청춘일까

가끔은 시간을 떨어뜨리고 싶다, 그리고
그 시간에 몸을 던져 나도 떨어지고 싶다

시곗바늘이 바람개비처럼 자유로우면 어떨까
바람이 이끄는 대로 혹은 멈추는 대로
시간도 그리될 텐데, 우리도 그리될 텐데

내가 사는 세상

세상과 멀어지기 위해
노래에 맞춰 눈을 감아 본다

하늘을 날아보고자
눈과 귀가 멀어지고자
내 사람들이 아파할까 걱정되지만

그 누구도
내 슬픔을 위로하지 않기를 바라며
내 행복에 끼어들지 않기를 바라며

그렇게 모두와 멀어지게 되면
내가 원하는 세상과 가까워지겠지

내 사랑은 꽃이었다 _ 전윤재

너라는 별

밤하늘의 별이 아름다운 이유는
어둠 속에서 찬란하게 빛나기 때문이며

네가 아름다운 이유는 너의 이름이
누군가에게 한 줄기 빛이 되기 때문이다

이 하늘이 무슨 색이든
그 자리 그대로 있어 준 그대여

너의 가슴 깊은 곳에 묻혀 있는
감정들이 네게 어둠을 줄 때마다

너의 눈부심이 노을 진 새벽에도
빛날 수 있는 별이 되기를 기도할게

너의 노래

그대의 노래를 들으면
이렇게 당신에게 가까워지네요

그대에게 위로의 한 마디를 전해줄 수 있다면
노래에 맞춰 눈을 감고 함께 눈물을 흘릴게요

노래에 행복해하는 당신의 모습을
내일도 볼 수 있기를 내가 기도할게요

눈물을 흘리는 게
내 감정에 솔직해지는 게
너무나 쓰리고 아프지만

당신의 노래를 듣고
눈물 한 방울 흘린다면
주저하지 않고
오늘도 눈을 감을게요
그리고 당신에게 다가갈게요

내 사랑은 꽃이었다 _ 전윤재

개화기 (開花期)

이 겨울 산에 너란 꽃 한 송이 핀다
그동안 쌓였던 눈은 너를 위한 거름이었고
그토록 아팠던 눈은 따뜻한 봄이 되어 내게 돌아왔다

천국

그대의 눈물에 파도가 치고
그대의 한숨에 바람이 차니
당신은 나에게 날씨인 듯합니다

그대의 웃음에 천국을 믿으며
그대의 안녕에 내일을 기대하니
당신은 나에게 축복인 듯합니다

내 사랑은 꽃이었다 _ 전윤재

친구해요

어젯밤 몇 번이고 중얼거려도 또 망설여지는데
수백 수천 번을 연습해도 괜히 부끄러워져요

미안, 나 심장이 있고 떨림이 있지만
그래도 지금 이 시간만을 기다려 왔어요

우리 친구할래요
가끔 커피 한잔 주고받는

우리 친구할래요
서로 위로 하나씩 주고받는

딱 그 정도 더 나아가진 말고
우리 친구라는 시작을 해 봐요

우리 친구해요
힘들고 어두울 때
같이 한잔 할 수 있는

우리 친구해요
내가 너를 사랑 아니 좋아한단
마음을 감출 수 있게 친구해요

더도 말고 덜도 말 딱 그 정도
우리, 친구라는 걸 한 번 해봐요

내 사랑은 꽃이었다 _ 전윤재

안아보자

고요하고 따뜻하게 너를 내 가슴 속에 푹
너의 그 작은 아픔들까지 내가 다 품을 수 있게
그저 사랑이라는 감정 하나로 너를 안고 싶다

기다림

나의 곁을 떠나간 조각 같은 그리움
나에게 더 이상 남아 있지 않은 사람

너에게 다가갈 용기조차 내지 못한 채
그저 아무 의미 없는 기다림을 하였을까

우연의 만남이 이뤄지지 않는다면
나는 그 만남을 필연으로 만들 거야

그렇게 너와 우연의 인사를 나누며
서로가 두고 간 그 공간을 함께하겠지

그래, 서로의 시간 속에서 함께 설레하는
이게 바로 사랑인 거지, 인연인 거지, 행복인 거지

내 사랑은 꽃이었다 _ 전윤재

화기 (花期)

우리는 과연 순수한 사랑을 해야 할까
안타깝게도 그러기에는 어려움이 너무 많다
'삶'에 어려움이 많듯이, '사랑'에도 어려움이 많다

그러나 우리는 순수한 사랑을 해야 한다
한 명만을 바라보는 그런 사랑 말이다

많은 어려움이 있을지라도,
그만큼 더 뜨거울 수 있지 않은가

꽃잎

꽃잎의 떨어짐에
내 눈물도 함께 떨어뜨리겠습니다

떨어진 눈물이 검게 번져
꽃잎으로 물들기를 바라겠습니다

눈물의 번짐 속에도 꽃잎만은
한없이 빛나기를 바라겠습니다

연의 편지

우연인 줄 알았다
스쳐 지나가는 바람에
흩날리는 꽃잎의 향기인 줄 알았다

인연인 줄 알았다
때가 되면 피고 지는 꽃처럼
이별의 눈물이 마르면 만남일 줄 알았다

아니, 필연이었다
사람의 본질이 사랑이라면
나의 본질은 그대라는 바람일 것이다

오로라 빛 향수

너는 마치 저 하늘의 오로라
밤하늘 속 나에게 찬란한 빛을 내려주던
하늘에 뿌려진 별빛 속의 아름다운 오로라

영원할 것 같던 네가 조금씩 희미해지고
우리 함께 했던 그 날들이 그리워질 때쯤

너의 향기를 추억할게
너란 사람이 슬프게 기억될 때마다
내가 차가운 눈물 한 방울 흘릴 수 있도록

나의 향기를 선물할게
그때가 그립다는 생각이 들 때마다
네가 나를 찾을 수 있도록, 생각할 수 있도록

내 사랑은 꽃이었다 _ 전윤재

달

달이 차더라
공허했던 내 마음 한자리를
너란 달빛 한 줄기가 채워주더라

달이 차더라
따뜻할 줄만 알았던 네 가슴이
오늘따라 차갑고 아프기만 하더라

위로

오늘 분위기가 좀 그래서
기분이 좀 그래서 너에게 속삭일게

언제나 너의 어깨가 되어줬던 나지만
오늘만큼은 네게 기대고 싶은 마음이야

너란 꽃에 물을 주며 행복했던 나지만
오늘은 네가 내게 물을 흘려주기를 바래

내게 그 누구보다 뜨겁게 안겼던 너지만
오늘만큼은 나를 안아주고 위로해 줄래

그저 빨갛기만 했던 나의 위로는 이제
곱디고운 줄만 알았던 너의 위로가 되네

너의 품은 이랬구나
따뜻할 줄 알았던 너의 위로도
꽤 많이 뜨겁고 아프구나

오늘 밤

평소와 조금은 다른 밤
우리는 너무 어렸던 밤
우리가 너무 얼었던 밤

오늘은 조금은 다른 밤
별들을 뒤덮은 먹구름 속에서
오직 눈동자만이 빛을 가진 밤

나만을 위한 달빛과 너만을 위한 별빛
그래, 우리만을 위한 아름다운 밤이에요
그러니 우리, 오늘 밤은 서로에게 솔직해져 봐요

자장가

오늘도 수고했어요
아직 어색하고 서툴기만 한 나를
사랑해주느라 정말 고생 많았어요

난 오늘도 설레느라 잠 못 이루겠죠
그대와 함께했던 시간이
그 어떤 낮잠보다 달콤했으니

오늘도 잘 자요, 그대
내 꿈 꾸란 부담스러운 말은 하지 않을 테니
그저 오늘은 그대만을 위한 꿈을 꾸기를 바라요

그대의 눈, 그대의 입술, 그대의 모습 하나하나
놓치고 싶지 않아서 작은 눈동자에 모두 담느라
힘들었지만 꿈속에서 우리 다시 만날 수 있기를

우리 오늘 수고 많았어요
그래요 잘 자라는 말이 전부지만
내일 또 웃는 얼굴로 다시 만나요

약속

눈이 녹는 그 날
꽃이 피는 그 날
스무 살의 어느 날
우리 꼭 다시 만나자

기다릴게

그래, 한 걸음 멀어질게
나의 다가감이 너에게 아픔이 된다면
너를 기도하며 네가 모르게 스쳐 지나갈게

네가 찬란하게 빛날 때조차
나는 희미한 불빛으로 남아 있을게

내가 흙이 되어 너를 위한 거름이 될게
내가 힘이 되어 너를 위한 걸음이 될게

그럼 넌, 어쩌면 꽃, 나의 꽃 한 송이로
이 겨울이 지나 그리고 봄이 올 때쯤에
사람들의 가려진 미소와 함께 피어줄래

낙화기 (落花期)

진심으로 사랑했던 사람과 헤어지려 합니다
'너의 이런 점 때문에 헤어지려 해'라는 말 대신
'내가 부족해서 너와 멀어지려 해'라는 말로
이별을 맞이하려 합니다

내 사람과 미련 없이
헤어지기 위해, 그리고 서로를 위해

사랑했던 사람과의 마지막 순간까지
나의 속마음을 감추어야 하는 슬픔에
지치고 힘들지라도, 당신과 나를 위해
우리는 이렇게 헤어져야 해요

그대는 사진 속에

꾸깃꾸깃 주머니에 있던 사진을 꺼냈다
방긋이 웃고 있는 너와 나는 누구보다
예뻐 보이더라, 행복해 보이더라

너와 많은 사진을 찍고 싶었는데
보다 많은 추억을 쌓고 싶었는데

사진을 한 장씩 잃어버릴 때마다
또 그때의 기억이 잊힐 때마다

왠지 모르게 조금씩 낡아져 가는,
그러나 그 속의 우리는 너무나 곱디고운
그 사진들을 하나씩 액자에 담아놓는다

오늘도 주머니에는 사진 한 장이 구겨진 채
마치 기다렸다는 듯이 방긋이 웃고 있다

내 사랑은 꽃이었다 _ 전윤재

후회

사랑을 알았기에 사랑을 앓았고
너를 알았기에 또다시 너를 잃었다

영원

사랑이 괴롭다
사랑은 왜 영원해서
나를 이토록 아프게 하는 것인가

어렴풋이 남은 너의 흔적 속에
짧은 미소와 눈물이 함께 하니
이 얼마나 역설적인 사랑이 아니겠는가

내 사랑은 꽃이었다 _ 전윤재

버퍼링

그 어떤 숫자도 글자도 맞지 않는 빈칸에
무엇을 적어야 무엇을 넣어야
이 지겨운 버퍼링을 끝낼 수 있을까

그 어떤 감정도 행동도 원치 않는 너에게
무엇을 말해야 어떻게 표현해야
너와의 이 버퍼링을 끝낼 수 있을까

그 자리

가까이 있을 땐 몰랐지
바람처럼 스쳐갈 거라고

멀어져 가니 알았네
익숙함에 젖었단 걸

만남이 사랑되고
영원한 추억이 될 줄 알았는데

그대, 이제 내 마음 한자리 비워났으니
그 자리에 와 텅 빈 내 마음을 채워주기를

NO 사랑

사랑이라는 희미한 그늘 밑에서 서성이던 우리

네 덕분에 내가 많이 행복하다는 그 말들도
너 때문에 내가 불편하다는 말들로 변해간다

사랑하지 않는 게 꽤 괜찮더라고
혼자 아침에 일어나 잠들 때까지의
그 하루하루가 꼭 외롭지만은 않더라고

이 세상에 영원한 건 없다지만
우리 둘은 언제나 영원하기를 바랐던
그때의 철없던 너와 나는 이제

사랑이었던 페이지를 넘기고
현실이라는 글자를 끄적이기 위해
이별이라는 마침표를 찍는다

사랑했었다는 말이 전부였던 너와
많은 사랑 주지 못해 미안하다는
말이 그만이었던 나를 추억하며

남은 페이지는 그리워도 그립지 않을 너의 모습과
전보다 더 아름다울 우리의 모습으로 가득 채울게

내 사랑은 꽃이었다 _ 전윤재

사랑이란 게, 이별이란 게

그대의 입에서 헤어지자는 말이
나왔을 때의 내 마음을 말하지 못했던 나

사랑이란 게, 이별이란 게 가끔은 그럴 수 있지만
그대가 내 앞에서 눈물 한 방울 흘리지 않기를
우리 사이가 영원한 이별만은 아니기를 바라요

창문

비가 내린다
비는 툭툭 창문을 두드려
내 눈앞의 창문을 흐리게 한다

하늘이 흐리다
하늘은 마치 누군가의 눈물처럼
하염없이 눈물을 흘리고 있다

비가 내린다
비는 결국 창문을 깨뜨려
이제는 내 눈앞을 흐리게 한다

내 눈앞이 흐려진다
그리고 툭 떨어져
검게 번진다

마치 너의 눈물처럼
하염없이 검게 번진다

사랑해봤는데요

사랑해봤는데요
그렇게 아프지도 않더라
그대가 생각했던 것만큼은

처음 꽃을 봤을 때
저 달빛이 비칠 때
이 길을 지나갈 때

그땐 참 좋았지 사랑이란 게
참 쉬울 줄만 알았는데

구겨진 사진을 꺼낼 때
너와의 추억에 잠길 때
오늘따라 그저 지칠 때

꽤 많이 아프더라고
이별이 참 어렵더라고

사랑해봤는데요
그렇게 그립지도 않더라
너와 내가 사랑을 나눌 때만큼은

나의 마음을 어루만지던
너의 위로가 그리워지고

비 내리던 날의 눈맞춤도
어두운 방 속의 입맞춤도
가끔씩 생각 한번 나겠지

그저 추억이라 느껴져서
한동안 잊느라 힘 좀 들겠지만

내 사랑은 꽃이었기에
따뜻한 봄날에 다시 피어나길 바라며
너란 꽃을 내 사랑이었다고 기억할게

내 사랑은 꽃이었다 _ 전윤재

사랑은 우리로 하여금
숨 쉬게 한다

─────

강순정

당신의 하루는 안녕하십니까
당신의 밤은 안녕하십니까
당신의 마음은 안녕하십니까

저의 하루는, 저의 밤은, 저의 마음은
안녕하지 못합니다
그래서 저는 오늘도 메모장을 펼쳐
두 개의 엄지손가락으로 안녕하지 못함을
기록해 봅니다

기록하고 나니 눈물에 젖어 반짝입니다

아프기만 했던 순간들이 밖으로 나온 순간
반짝이니 참으로 아름답습니다

저는 오늘도 안녕하지 못함을 기록하고
드러나는 반짝임에 미소 짓습니다

너의 이름은 뭐니?

술래잡기를 하듯
앞으로 갔다, 뒤로 갔다
너의 이름은 뭐니?

범인을 잡듯
닿을 뻔했다, 멀어졌다
너의 이름은 뭐니?

롤러코스터를 타듯
미소를 지었다, 울상이 되었다
너의 이름은 뭐니?

보일 듯 보이지 않는 너란 존재
사람들은 너를 이렇게 부르더라
사랑이라고 말이야

내 안의 초콜릿

너를 생각하는 시간들이
때로는 아메리카노처럼 쓰면서도
때로는 초콜릿라떼처럼 달다

무더운 여름밤
아메리카노 한 잔을 들이켜
널 향한 갈증을 달래기도 하고

선선한 가을밤
초콜릿라떼 한 잔을 들이켜
널 향한 마음을 즐기기도 한다

진한 커피가 나에게 스며들어가듯
진한 초코가 나에게 스며들어가듯
너 또한 나에게 스며들어가기를

사랑은 우리로 하여금 숨 쉬게 한다 _ 강순정

친구와 이성 사이

누군가는 평범한 만남이
누군가는 특별한 만남

누군가는 평범한 선물이
누군가는 특별한 선물

누군가는 평범한 대화가
누군가는 특별한 대화

누군가는 평범한 기억이
누군가는 특별한 기억

하늘바라기

너를 바라보니
나의 마음이 깨끗해져

너를 바라보니
나의 입꼬리가 올라가

너를 바라보니
나의 세상이 평온해져

너를 바라보니
나의 마음에 여유가 찾아와

너를 바라보니
나의 마음이 따스해져

너를 바라보니
행복을 느껴

너를 바라보니
사랑을 알게 돼

사랑은 우리로 하여금 숨 쉬게 한다 _ 강순정

내가 가장 사랑하는 사람

너를 만나고 있을 때는
이 세상에서 내가 가장 사랑하는 사람이
너인 줄 알았다

너를 잃고 나니
이 세상에서 내가 가장 사랑하는 사람은
나 자신이더라

무장해제

누구보다 신중한 나고
누구보다 이유가 뚜렷한 나고
누구보다 까다로운 난데

너를 만난 순간
이 모든 것이
소용없어졌다

도돌이표

너를 사랑하지 않는 방법을 찾고자
내 안의 모든 도구들을 꺼냈지만
결국 너를 더 사랑하게 되었다

탱탱볼

눈이 탱탱 부을 정도로 울고
다리가 탱탱 부을 정도로 걷고
상처가 탱탱 부을 정도로 아프고
삶이 탱탱 부을 정도로 고단하더라도

그대 마지막 순간까지
눈을 뜨고
길을 걷고
사람을 만나고
살아갈 수 있기를

염원

이렇게 늦은 시간에
너는 누구를 위해 기도하느냐

이렇게 이른 시간에
너는 누구를 위해 기도하느냐

이렇게 아픈 시간에
너는 누구를 위해 기도하느냐

이렇게 황홀한 시간에
너는 누구를 위해 기도하느냐

어떠한 마음으로
누구를 위해 기도하느냐

무엇을 위해 그리 간절히 기도하느냐
누구를 위해 그리 간절히 기도하느냐

작은 샘의 비밀

마음을 자극하여 샘을 만들고
눈을 자극하여 샘을 만들고
귀를 자극하여 샘을 만든다

나의 샘을 자극하는 이가 있으니
그것은 다름 아닌 사랑이로구나

수많은 작은 샘들을 자극함에 따라
작은 샘이 강을 이루었고
강은 폭포가 되어
끊임없이 쏟아져 내린다

사랑은 우리로 하여금 숨 쉬게 한다 _ 강순정

고개를 들어 하늘을 보라

내가 어딜 가든 어디에 있든
언제나 내 곁에 있어주는 너
하늘아

아침에는 푸른빛과 부드러운 솜뭉치로
나의 마음에 여유를 주고

저녁에는 형형색색의 노을로
나의 마음을 채워주고

새벽에는 작은 빛들로
나의 마음을 위로하는구나

행선지

머나먼 길을 향해
한 사람이 걸어간다
언제쯤 도착할까
이 길이 맞을까

이루고 싶은 꿈을 향해
한 사람이 나아간다
언제쯤 도착할까
이루어낼 수 있을까

맺고 싶은 사랑을 향해
한 사람이 달려간다
언제쯤 도착할까
닿을 수 있을까

단단한 관계를 향해
한 사람이 기다린다
언제쯤 도착할까
만날 수 있을까

사랑은 우리로 하여금 숨 쉬게 한다 _ 강순정

태양에게 건네는 편지

동쪽에서 깨어나
서쪽으로 잠이 드는
태양아

아무리 두터운 구름들이
너를 에워싸도
네 안의 빛은 사라지질 않는구나

네 안에 얼마나 많은 꿈이 있기에
온 세상을 밝게 비춰주는 것이냐
나는 너를 보며 다시 한번 겸허해진다

네 안에 얼마나 많은 아픔이 있기에
하루의 마지막을 위로해주는 것이냐
나는 너를 보며 마음의 평안을 얻는다

태양아
앞으로도 그렇게 마지막 순간까지
나의 삶의 빛이자 위로가 되어주려무나

글귀

고단한 삶
고독한 밤
외로운 길

잠이 들지 않는 새벽
나를 위로 하는 음악
나를 살게 하는 글귀

그 모든 것을 아우르는
한 편의 시
그대의 이야기

사랑은 우리로 하여금 숨 쉬게 한다 _ 강순정

이별한 하늘

고요한 밤과 산뜻한 하늘을
엉망으로 만들어버리는
그의 눈물

무슨 일이 있었던 걸까
하루아침에 생이별을
당해버린 것일까

따스함으로 가득했던
그의 세상에는
온통 눈물바다가 되어버린다

그대여, 마음껏 울어라
그대의 눈물로 인해
온 세상이 촉촉해지고 있다

그대의 눈물이 그치는 날
그대의 미소와 나의 미소가 만나
온 세상이 무지갯빛으로 빛날 것이다

인과관계

무엇이 그리도 당신을 힘들게 하나요

혹시 당신이 사랑하는 존재들이
당신을 힘들게 하지는 않나요

무엇이 그리도 당신을 힘들게 하나요

혹시 당신을 사랑해주는 존재들이
당신을 힘들게 하지는 않나요

무엇이 그리도 당신을 힘들게 하나요

혹시 당신과 상관없는 존재들이
당신을 힘들게 하지는 않나요

당신이 아프지 않기를 바라요
당신이 힘들지 않기를 바라요
당신의 미소가 생기길 바라요

사랑은 우리로 하여금 숨 쉬게 한다 _ 강순정

부재

네가 없이 계속되는 불면
난 언제쯤 잠들 수 있을까

네가 없이 계속되는 악몽
난 언제쯤 꽃몽을 꿀 수 있을까

네가 없이 계속되는 눈물
난 언제쯤 웃을 수 있을까

네가 없이 계속되는 사랑
난 언제쯤 멈출 수 있을까

엇갈린 시간들

너만 기억하는 나와의 시간
나만 간직하는 너와의 시간

이미 지나가 버린 시간들 속에
너를 놓으려 하지만

앞으로 다가올 시간들 속에
네가 빠지질 않는다

무한대

아닐거라고 매일매일 다짐하지만
나의마음은 매일매일 또다시속지

그만하자고 매일매일 다짐하지만
나의마음은 매일매일 울고만있지

착각이라고 매일매일 다짐하지만
나의마음은 매일매일 그안에살지

그렇게 매일매일 아파하지만
그렇게 매일매일 사랑을하지

1년 내내 겨울밤

하늘에서 흩날리는 저 눈발은
언제쯤 나의 마음에 내려와
나를 포근하게 해 줄까

하얀 물감이 나의 마음을 적셔준다면
널 향한 나의 마음은
백지로 되어갈 수 있을까

길었던 겨울밤이 끝나고
하얗던 세상이 푸른빛으로 채워질 때
우리의 마음에 꽃이 피어날 수 있을까

가을이 사랑에게

파아란 창공 아래
하이얀 레이스를 나풀거리며
나의 시선을 끄는 너는 무엇이더냐

넓디넓은 하늘 아래
두툼한 구름을 내보이며
가을을 알리러 오는 너는
시원한 바람을 건네주는 사랑이로구나

러브레터

당신을 생각하는 이 마음 하나
전달되는 것이 그리도 어려울까요

그리움이 한껏 담긴 술 한잔에 취해
내 마음 한껏 담긴 편지를 써
우표도 붙이지 못한 채 보낸다면
그대에게 닿을까요

내 마음을 표현해보고자
끝이 보이지 않는 바닷가를 찾아가
내 눈물을 쏟아낸다면
그대에게 닿을까요

어디로 갔을지 모르는 내 마음
다시 주워 담아 시 한 편을
꾹꾹 적어 세상에 내놓는다면
그대에게 닿을까요

사랑은 우리로 하여금 숨 쉬게 한다 _ 강순정

들리나요

내가 그립다고 말한다면
그대의 마음이 무거울까요

내가 바라본다고 말한다면
그대의 마음이 답답할까요

내가 좋아한다고 말한다면
그대의 마음이 힘들까요

그래서 나는 오늘도
허공에 대고 외칩니다

그대에게 들리지 않을 테니까요

모든 날, 모든 사람

어떤 날은 사랑이 기다리는 것이지만
어떤 날은 사랑이 보내주는 것이 되고

누군가에게는 사랑이 묻지 않는 것이지만
누군가에게는 사랑이 묻는 것이 된다

수많은 날 중 어떤 날이
사랑을 알게 된 날이며

수많은 사람 중 어떤 사람이
사랑을 알려 준 사람일까

어쩌면 모든 날, 모든 사람이
사랑을 건네주었을지도 모른다

사랑은 우리로 하여금 숨 쉬게 한다 _ 강순정

이 별의 길

어두웠던 밤하늘에서
너의 별과 나의 별이 만나
은하수라는 세계를 만들었다

반짝이던 밤하늘에서
너의 별과 나의 별이 갈라진 것이
번개가 침으로써 드러나고 말았다

너와 나의 이별을 모두가 슬퍼하듯
밤하늘에는 별똥별이 떨어졌으나
땅의 세계에서는 축하의 목소리가 들릴 뿐이다

너의 별의 길과
나의 별의 길
이별의 길

거짓 고백

우리가 인연이 되지 않아도
당신이 존재하기만 한다면
그것으로 되었습니다

당신이 날 바라보지 않아도
내가 당신을 바라볼 수 있다면
그것으로 되었습니다

내가 당신에게 해줄 수 있는 게 없어도
그것이 당신을 살게 한다면
그것으로 되었습니다

그것으로 되었습니다

사랑은 우리로 하여금 숨 쉬게 한다 _ 강순정

방문객

나의 집에는 네가 들어왔는데
나는 너의 집에 들어가도 되는 걸까
그렇게 너의 흔적이 될 수 있을까

나의 마음엔 네가 들어왔는데
나는 너의 마음에 들어가도 되는 걸까
그렇게 너의 꽃이 될 수 있을까

나의 세계엔 네가 들어왔는데
나는 너의 세계에 들어가도 되는 걸까
그렇게 너의 별이 될 수 있을까

나의 인생엔 네가 들어왔는데
나는 너의 인생에 들어가도 되는 걸까
그렇게 너의 위로가 될 수 있을까

나의 눈에는 네가 들어왔는데
나는 너의 눈에 들어가도 되는 걸까
그렇게 너의 시선이 될 수 있을까

너를 만나

너를 만나
꿈을 가지게 되었고

너를 만나
더 좋은 사람이 될 수 있었고

너를 만나
사랑을 알게 되었고

너를 만나
이상형을 알게 되었고

너를 만나
삶에 희망이 생겼고

너를 만나
새로운 세계를 알게 되었고

너를 만나
나를 더 사랑하게 되었어

사랑은 우리로 하여금 숨 쉬게 한다 _ 강순정

짝사랑

그대를 사랑함이
그대에게 해가 되지 않았으면 좋겠습니다

그대를 사랑함이
그대를 힘들게 하지 않았으면 좋겠습니다

그대를 사랑함이
나의 욕심이 되지 않았으면 좋겠습니다

그대를 사랑함이
그대를 웃게 해 주었으면 좋겠습니다

그대를 사랑함이
힘들 때 나아갈 수 있는 힘이 되었으면 좋겠습니다

그대를 사랑함이
그대를 사랑하는 것이었으면 좋겠습니다

부탁

좋은 사람이 되고자 노력하는 그대
이 세상 누구보다도 좋은 사람이니
그런 자신을 어여삐 여겨주길
좋은 사람이라는 결과물이 아닌
노력하는 마음을 봐주는 사람과 함께 하길

위로의 인사

기나긴 하루를 마치고
피곤이 몰려오거든
떨군 고개를 들어 하늘을 보아라
오늘 너의 하루는 참으로 빛난다고
작은 별들이 인사해주지 않더냐

고된 업무를 마치고
삶의 무게가 몰려오거든
굽은 어깨를 피어 하늘을 보아라
오늘 너의 하루는 참으로 멋지다고
밝은 달이 인사해주지 않더냐

달도 별도 보이지 않아
어둠이 몰려오거든
짙은 눈을 밝혀 주변을 보아라
지금 너의 안에는 빛들로 가득하다고
곳곳의 불빛들이 인사해주지 않더냐

한여름 밤의 꿈

무더운 여름밤
시원해지는 바람 속에
간질거리는 너와의 시간

지나가 버린 시간들이
야속하게만 느껴지지만
그만큼 행복했던 너와의 시간

옆에 있던 사람은
그저 핑계일 뿐
나에겐 오직 너와의 시간

너와의 시간 속에
달콤한 꿈을 꾸었고
오늘 또다시 꿈꿔본다

사랑은 우리로 하여금 숨 쉬게 한다 _ 강순정

사랑에 빠지고 싶다

나를 사랑하겠다며
나를 열심히 알아가 보고
지금까지와는 달리
나의 삶을 열심히 살아가 본다

무언가에 억지로 끼워 맞추는 것이 아닌
나에게 맞는 것들을 찾아가 보고
그 안에서 생각지도 못한 것들을
배우게 되기도 한다

그렇게 행복을 찾기 위해
하루하루 열심히 살아가 보지만
밤마다 치고 들어오는 외로움은
막을 수 없다

외로움이 당연한 감정이라고 여기기엔
사무치게 외롭다

해를 품다

하늘의 석양이 지듯
나의 마음 또한 지고

새벽의 해가 떠오르듯
나의 마음 또한 떠오른다

그렇게 매일매일
지고 떠오르는 것을
반복하는 것이 지칠 만도 한데

그것이 해의 역할이듯
나의 숙명인 것 마냥
끝나질 않는다

사랑은 우리로 하여금 숨 쉬게 한다 _ 강순정

오뚝이

이리 밀고 저리 밀어도
제자리로 돌아오는 오뚝이

바닥 끝까지 밀어도
제자리로 돌아오는 오뚝이

도대체 안에 무엇이 들었기에
조금의 흔들림도 없는 걸까

언제나 좋아 보이던 오뚝이지만
가끔 흔들렸으면 좋겠다

더 이상 아파하지 않았으면 좋겠다

이유

내가 유독 생각이 많은 것은
혹여나 당신에게 피해가 되지 않을까
걱정하는 마음에서 비롯되기 때문입니다

내가 유독 우유부단한 것은
혹여나 당신에게 상처가 되지 않을까
아파하는 마음에서 비롯되기 때문입니다

내가 유독 말이 많은 것은
혹여나 나의 진심이 사라지지 않을까
슬퍼하는 마음에서 비롯되기 때문입니다

내가 유독 말이 없는 것은
혹여나 나의 진심이 왜곡되지 않을까
두려워하는 마음에서 비롯되기 때문입니다

사랑은 우리로 하여금 숨 쉬게 한다 _ 강순정

사랑의 선물

사랑을 할 때면
자신의 가장 못난 모습이 드러난다

못난 모습을 드러내지 않고자
사랑을 하지 않으려 하는가

그렇다면 그대는 일평생
자신을 알아갈 수 없을 것이다

사랑할 때만큼은
자신의 있는 모습 그대로를 드러내게 된다

껍딱지

그저 잠시 스치는 인연일 뿐이라며
내 마음속에서 미친 듯이 밀어내도
마치 네가 나의 퍼즐 조각 중
하나였던 것 마냥 꼭 붙어있다

내 마음에 스크래치를 내면서까지
밀어내 보지만 너는 나의 상처에
풀을 발라 나를 단단히 해줌과
동시에 네가 그 자리에 앉는다

사랑은 우리로 하여금 숨 쉬게 한다 _ 강순정

각인

그대가 내게 주고 간 선물
이 세상 천릿길을 걸어도
발견할 수 없는 보물이거늘
어찌 그대를 잊으리오

그대가 내게 주고 간 추억
이 세상 수많은 사람을 알아가도
만날 수 없는 애틋함이거늘
어찌 그대를 잊으리오

그대가 내게 주고 간 아픔
이 세상 수많은 경험을 하여도
치유될 수 없는 흔적이거늘
어찌 그대를 잊으리오

허락해주시겠습니까?

그대들의 사랑으로
오늘의 내가 되었고

그대들의 시선으로
오늘의 우리가 되었습니다

우리들의 색깔로
그대의 마음에 남고자 합니다

사랑은 우리로 하여금 숨 쉬게 한다 _ 강순정

너의 미소는 꽃가루였나 보다

————

오세하

화가가 꿈입니다
글로 그림을 그리는 화가가 꿈입니다

선명한 그림이 그려지는 글을 쓰고 싶은데
솜씨가 부족해 혹시 낙서만 되지 않을까
심히 걱정입니다

화려한 풍경화는 아니더라도
그냥 막힘없이 쓱쓱 그려지면 좋겠습니다

부디 제 어설픈 글이
당신 마음속에 무사히 그려지기를
간절히 소망합니다

별

이 별은 내 별
저 별은 네 별이야

근데 난 저 별로 갈 거야
앞으로 이별은 없을 테니까

꽃가루

너의 미소를 주워 담아
집에 가는 내내 만지작 만지작
침대에 누워 이게 꿈인가 만지작 만지작

눈을 비볐더니 네가 꽃으로 보였고
가슴에 간직하니 심장이 간지러웠다

너의 미소는 꽃가루였나 보다

꿈

나는 꿀이야

내 다정함에 너는
눈에서 꿀이 떨어지고
달달해서 이가 썩을지도 몰라

너는 내 꿈이야

너의 예쁨에 나는
하루를 살고 미래를 그리며
꿈속에서 살고 있는지도 몰라

나는 꿀이고
너는 꿈이야

비가 오나요

거기에도 비가 오나요
여기는 비가 많이 내려요

비가 오던 날
우산 없이 해맑게 뛰고
몸이 다 젖은 채로 깔깔대던
그날이 떠올라요

우리,
비가 오는 날만
서로 그리워하기로 해요

내 마음도 그래요

캄캄한 하늘
가만히 보고 있으면
주변 별들이 하나씩 빛나듯

내 마음도 그래요

얼핏 보면 잊은 듯하지만
어쩌다 한 번 반짝거리면
자꾸 떠올라서 미치겠거든요

가만히 보면 환-한 저 별처럼
당신도 한 번 떠오르면
자꾸만 반짝거리는 이별이랍니다

흔적

너의 흔적을 지우는 일은
곧 내 흔적을 지우는 것과 같아
꽤 오래 걸릴 거야

그렇게 시간이 흘러
어쩌다 너의 흔적을 보게 된다면
핑계 삼아 속으로 안부를 물을게

너의 미소는 꽃가루였나 보다 _ 오세하

달이 밝아 그려보았소

오늘 밤 달이 밝아
그대를 그려보았소

캄캄한 하늘에도
새하얀 도화지에도 그려보았지만
눈 감고 그리는 그대가
가장 아름다웠소

매일 밤 달을 핑계 삼아
그대를 그리고 있소

몇 번을 그려도 그리운 그대
부디, 잘 지내시오

기우제

토독토독
우산에 떨어지는 빗소리 사이로
내 이름이 들렸어

뒤를 돌았더니 네가 뛰어와
아무렇지 않게 팔짱을 끼는 거야

두근두근
몸이 굳은 채 바래다주고
소파에 멍하니 누워 바래보았어

내일도 비가 오면 좋겠다
네가 우산을 또 까먹으면 좋겠다

너의 미소는 꽃가루였나 보다 _ 오세하

나비 효과

나비야

네가 이름을 불러줬을 뿐인데
나는 몇 날 며칠을
잠 못 이뤘단다

내 마음
다 휘저어 놔도 좋으니
그 날갯짓 계속해 주길 바라

예쁘니까

오고 가는 송곳 같은 말에
점점 화가 나려는데
네 얼굴을 보자마자 녹아내렸다

인상을 써도 꽃은 꽃이더라
울먹거리니 이슬이 맺힌 것 같더라

에휴, 꽃이랑 싸워서 뭐해
예쁘니까 참는다

이리 와, 내가 미안해

언젠가 비는 그치겠지

비가 내린다
언제 그칠지 모르고
목놓아 울고 있는 너처럼

맘껏 울어라
날 추우니 옷 따뜻하게 입고
기운 빠지니 밥은 잘 챙겨 먹고

그렇게 목놓아 울고 나면
언젠가 이 비는 그치겠지

컬러링

네 컬러링을 들으려 전화를 걸어도
음악이 채 나오기도 전에
기쁜 목소리로 받는 너였는데

이제는
네 목소리를 들으려 전화를 걸어도
1분 내내 음악만 나오는구나

오늘따라
네 목소리가 더더욱 그리운 밤이다

너의 미소는 꽃가루였나 보다 _ 오세하

인연

첫눈처럼 로맨틱하고
영화처럼 뜨겁게 사랑하며
우린 인연이라고 속삭였던 그녀가

눈처럼 차가운 얼굴로
우린 인연이 아닌 것 같다며
오늘 내게 이별을 말했다

이별은 슬프지만
넌 나의 인연이었고
앞으로도 인연일 거야

잘 가, 인연아
잘 살아, 인연아

신기루

하이루!
사막에 있는 내게
오아시스처럼 다가온 당신

신기루!
부푼 희망을 안고 좇았지만
끝내 오아시스는 나타나지 않았다

바이루!
여기는 아니었던 걸로

너의 미소는 꽃가루였나 보다 _ 오세하

심통

온 세상이 흑백이다

먹지 않아도 배고프지 않고
자지 않아도 졸리지가 않다

내 이토록 그리워하는 걸
너도 알까?

지금 내 귀를 맴도는
저 모기가 되어

너에게 찾아가
있는 힘껏 찌르고 싶다

너도 좀 아파라

모노드라마

술 마신 밤이면
흐려진 너의 번호가 선명해지고
통화 버튼 앞에서 한참을 망설이게 돼

어제도 할까 말까
몇 번을 고민하다가
이내 휴대폰을 뒤집었지 뭐야

난 아직도 널 잊지 못한 채
혼자 갈팡질팡하고 있는
모노드라마를 찍고 있나 봐

곰인형

그날 밤

너는 곰인형이 된 듯
내가 누르는 곳마다
소리가 났다

"하..이 러브 유"

어색함이 가득했던 넓은 방은
어느새 우리의 온기로 가득 차
좁디좁은 방이 되었다

시력

한 치 앞도 모르고
너와 먼 미래를 그리는
나는 원시인가

지금 너밖에 안 보여서
허우적 헤엄치고 있는
나는 근시인가

혹은 네 생각만 하면
어질어질 머리 아픈
나는 난시인가

확실한 건
너한테 눈이 멀었다는 거

변덕

짜파게티 먹으려고
물을 올려놓았지만
갑자기 김치전이 먹고 싶어

반죽을 만들고
기름을 데워놓았지만
갑자기 양파튀김이 먹고 싶은걸?

네가 이렇게 변덕을 부려도
내심 다행이야

나는 안 바꾸잖아, 휴

(여자)친구 만나고 올게요

친구야 고맙다
언제나 내 옆에 있어줘서

친구야 미안하다
우린 만나지도 않았는데
우리 엄만 너랑 있는 줄 아신다

그럼 너도 나한테 미안하겠지?
우린 같이 있지 않아도
어쨌든 항상 함께하는 친구네

다음엔 진짜 만나자 친구야

향기

나 지금은
너의 손목에 뿌려진 향수처럼
예쁘고 화려한 모습을 좋아하고 있지만

이제 너의
부족하고 부끄러운 부분까지
감쌀 수 있는 데오드란트가 될 거야

없었으면

너는 일이 많았는지
끝내 메시지를 읽지 않았고
카톡방의 1은 사라지지 않았다

너의 일은 언제 없어질까
우리 카톡방의 1은 언제 사라질까

너와 내가 있는 이 방에
아니 어쩌면 나 혼자만 있는 이 방에
1이 없었으면

이런 걱정하는 일이 없었으면

너의 미소는 꽃가루였나 보다 _ 오세하

소나기

아무 준비도 안 된 채
갑자기 내리는 장대비

재빨리 비를 피해
우산을 사고 길을 나섰는데
금세 비구름이 사라졌다

넌 소나기였다

오늘

오늘 네 소식을 들었다
아직 많이 힘들어하고 있다고

닿을 듯 말 듯
닿지 않는 너였기에
웃으며 보내주었는데

네가 그렇게 힘들어하면
난 어떡하라고

너의 번호를 누르려
몇 번을 망설이지만
다시 결심했다

오늘, 우린 또 헤어졌다

너의 미소는 꽃가루였나 보다 _ 오세하

4월, 삼척에서

아무도 없는 밤
앙상한 삼척 시내는

우리의 웃음소리에
온통 핑크빛으로 물들어
벚꽃이 생생해졌어

발길을 멈춘 그 족발집에서
세상 맛있게 먹던 네 표정이
마치 어제 일처럼 생생해

행복하다고 안기던 너
손잡고 거닐던 그 핑크빛 거리
이젠 전부 추억으로 물들었나 봐

눈 맞아요 우리

하늘에서 내리는
저 하얀 눈송이를 보고
당신은 무슨 생각을 할까요

우리 예전엔 참 뜨겁게 사랑했는데
너무 뜨거워서 다 녹아버린 걸까요
결국 함께 눈을 맞진 못했네요

당신과 다시 눈 맞고 싶어요
입 맞추면 더 좋고

방화

나 그대를 떠올리며 시를 쓸 땐
Writer가 아닌

Lighter가 되어
그대 마음에 불을 붙이겠어요

플로리스트

기쁨을 주니 웃음꽃이 활짝 폈고
믿음을 주니 꽃잎이 더 짙어졌다

시들지 말라고 토닥여 주니 무럭무럭 자랐고
꾸준한 사랑을 주니 꽃은 꽃다발이 되었다

사실 너는 원래 예뻤고
나는 내 할 일을 했을 뿐인데
어느새 난 플로리스트가 되었다

사계절

내가 봄이라면
너의 미소를 닮은
싱그러운 벚꽃을 선물하고

내가 여름이라면
더위를 무척이나 많이 타는 너에게
시원한 바람을 불어줄 거야

내가 가을이라면
쓸쓸한 네 마음을 위로할
알록달록 단풍을 보여주고

내가 겨울이라면
너의 크리스마스를 빛내줄
새하얀 함박눈을 내려줄 거야

맞아, 너와 사계절을 함께하고 싶어

일석이조

화이트데이
뭐 별거 있냐

같이 감자탕 먹고
입가심으로 박하사탕 먹으면 되지

네 손에 감자뼈는 묻혀도
손 끈적거리지 않게
사탕은 내가 입에 넣어줄게

공짜야, 많이 먹어

너의 미소는 꽃가루였나 보다 _ 오세하

신데렐라

현재 시각 새벽 3시

늦어도 2시 전에는
잠들기로 약속했지만
오늘도 당당하게 어겼다

너는 내게
신데렐라보다 두 시간 늦게 자는 거라며
투덜대지 말라고 하겠지만

사실 신데렐라도 12시에 귀가해서
렌즈 빼고 화장 지우고
L자 다리 하면서 마스크팩하고 나면

아마 2시 넘어서 잠들걸?

네가 달이라면

보고 있어도 보고 싶은 너인데
떨어져 있으면 그 마음 오죽할까

네가 달이라면
매일 밤 하늘만 보고 있었을 텐데

네가 지금 떠있는 저 달이라면
아마 더 밝게 비추고 있었을 텐데

오늘도 누워서
창밖에 보이는 저 달을 보며
보고 싶은 마음을 달래본다

너의 미소는 꽃가루였나 보다 _ 오세하

고백

벚꽃을 품은 얼굴로
내게 마음이 있다고 한 순간
세상 어떤 남자도 부럽지 않았다

무거운 낙엽을 짊어지고
내게 마음이 없다고 한 순간
그녀 옆을 스칠 모든 남자들이 부러웠다

적어도
그녀가 피하진 않을 테니까

차라리

그 긴 시간을
그 짧은 순간에 정리하는 게
무척 목이 메었다

차라리 나쁜 놈이라고
차라리 꺼지라고 했다면
눈물이 덜 났을까

그날도 어김없이
너는 나를 배려했다

미안해하지 말라고
용기 내어 말해줘서 고맙다고

너의 미소는 꽃가루였나 보다 _ 오세하

침묵

네 카톡을 보고
답을 할 수 없었어

고민했어
나 좋다고 널 붙잡는 게
정말 너를 좋아하는 건가

결국 나는
아무것도 하지 않았어

마음 정리한다는 너에게
할 수 있는 마지막 배려였으니까

이별은 별인가 봐요

이별도 별인가 봐요
손 뻗어도 잡히지 않는 걸 보면

이별도 별인가 봐요
밤만 되면 더 떠오르는 걸 보면

좋으면 좋을수록 멀어지고
보면 볼수록 더 빛나 보이는

이별은 별인가 봐요

너의 미소는 꽃가루였나 보다 _ 오세하

다 좋아

배고파서 예민해진 네 뱃살도
통통하고 하얀 네 손목도
나는 다 좋아

자다 일어나 떡진 머리도
귀엽게 붙은 눈곱도
나는 다 좋아

아무렴 어때
나는 네가 다다다 좋은 걸

너도 내가 좋아하는 만큼
나를 좋아해야 해!

취업

오늘도 힘들었을 당신
꼭 취(얼)업 하세요!

CHEER UP!

너의 미소는 꽃가루였나 보다 _ 오세하

해피엔딩

영화 속 주인공들이
서로 다투고 힘들어도
우린 알고 있어

결국 해피엔딩이라는 걸

우리에게 시련이 찾아와도
너무 슬퍼하지 말자

우린 이 영화의 주인공이고
거의 다 왔다는 신호니까

나는 나예요

공부를 못해도
운동을 못해도

나는 나예요

지금은 비록
아무것도 못하는
번데기처럼 보여도

언젠가 하늘을 훨훨 나는
나비가 될 거예요

너의 미소는 꽃가루였나 보다 _ 오세하

꿈공장 플러스

눈을 감고 순간을 채우다

2020년 11월 6일 초판 1쇄 발행
2020년 11월 6일 초판 1쇄 인쇄

지은이　 ｜정호준, 전윤재, 강순정, 오세하

인쇄　　 ｜아레스트 (s-lin@hanmail.net)
표지　　 ｜studio GRIME (ceo@studiogrime.com)

펴낸이　 ｜이장우
펴낸곳　 ｜꿈공장 플러스
출판등록 ｜제 406-2017-000160호
주소　　 ｜서울시 성북구 보국문로 16가길 43-20 꿈공장빌딩1층
전화　　 ｜010-4679-2734
팩스　　 ｜031-624-4527
이메일　 ｜ceo@dreambooks.kr
홈페이지 ｜www.dreambooks.kr
인스타그램｜@dreambooks.ceo

꿈공장+ 출판사는 모든 작가님들의 꿈을 응원합니다.
꿈공장+ 출판사는 꿈을 포기하지 않는 당신 곁에 늘 함께하겠습니다.

ISBN　 ｜979-11-89129-72-9

정 가　｜12,500원